小兔子
學捐錢
文·圖 辛德絲·麥克勞德 Cinders McLeod
譯 顏銘新

獻給小町，
懂得愛又有感恩之心的小可愛。

作者．繪者 | **辛德絲．麥克勞德 Cinders McLeod**

插畫家、歌手、作曲家，同時也是低音提琴樂手。辛德絲曾長期為英國《格拉斯哥先驅報》創作社會諷刺漫畫專欄《Broomie Law》，也為許多兒童刊物、商業廣告及國際知名媒體如英國《衛報》與加拿大廣播公司等繪製插畫。她的作品曾獲世界報紙設計協會、加拿大國家報紙獎等多項肯定。現今居住在加拿大多倫多。想更了解辛德絲，可以造訪她的網站：moneybunnies.com和cindersmcleod.com。

譯者 | **顏銘新**

賺錢：曾在兒童書店、金融機構和科技公司努力掙錢。
花錢：在圖畫書和青少年小說花了很多錢。
存錢：想看更多的書、聽音樂和去旅行。
分享：在北市圖當了好多年說故事志工，現在和太太吳方齡一起在小茉莉親子共讀臉書粉絲頁分享小茉莉早餐和國內外童書資訊。

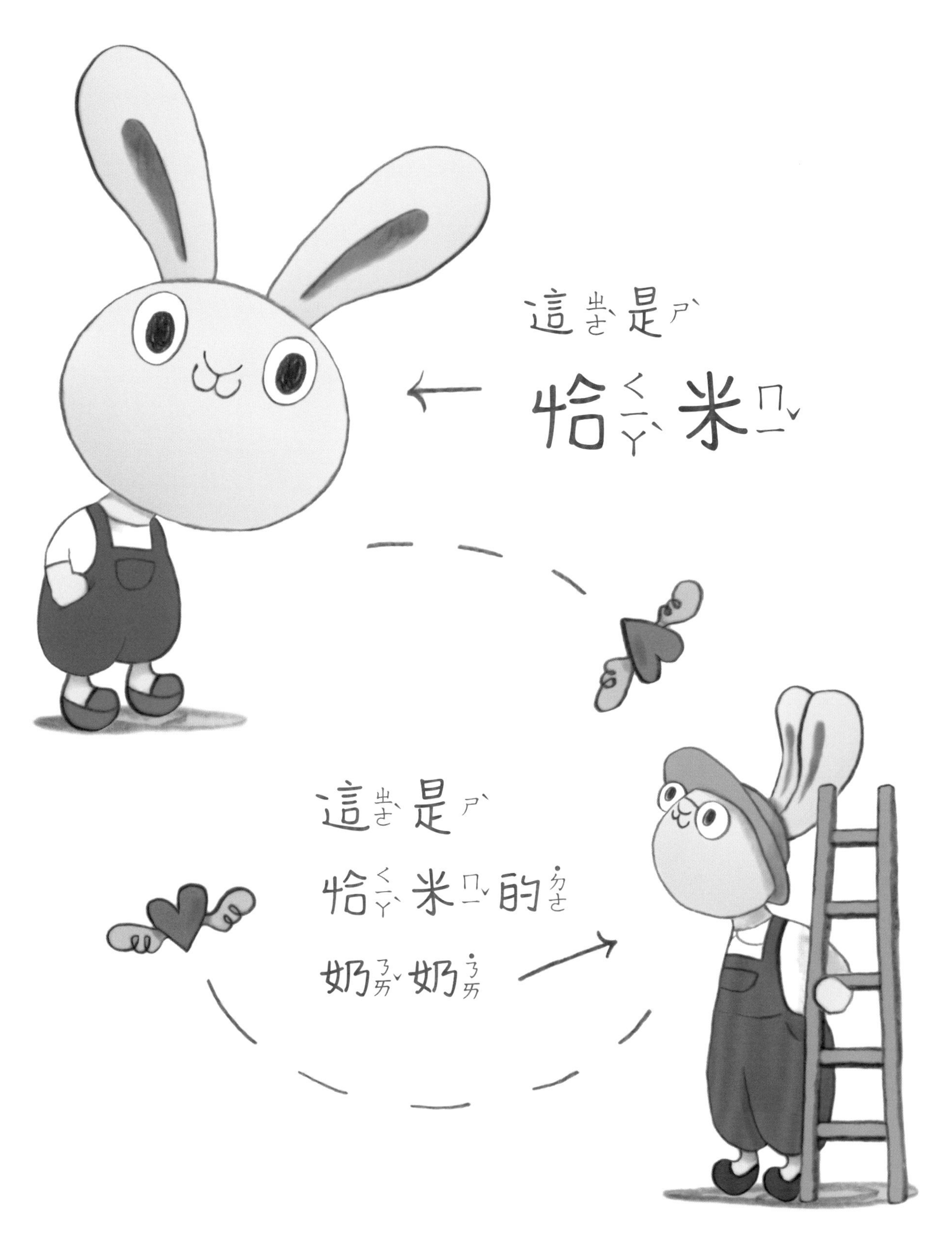

這㞢是ㄕ
恰ㄑㄚˋ米ㄇㄧ˙

這㞢是ㄕ
恰ㄑㄚˋ米ㄇㄧ˙的ㄉㄜ˙
奶ㄋㄞˇ奶ㄋㄞˇ

恰米和奶奶都
好喜歡對方！

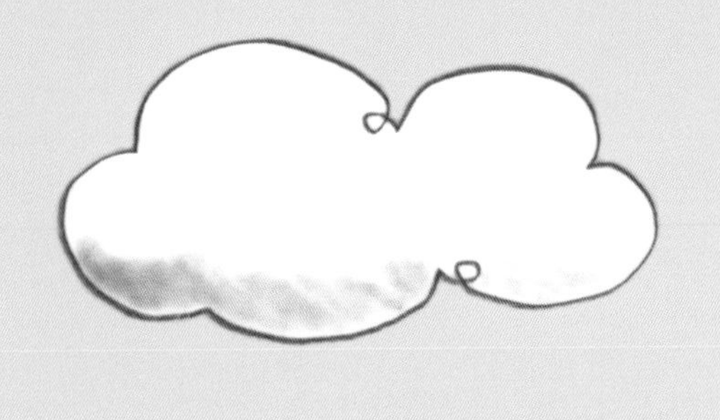

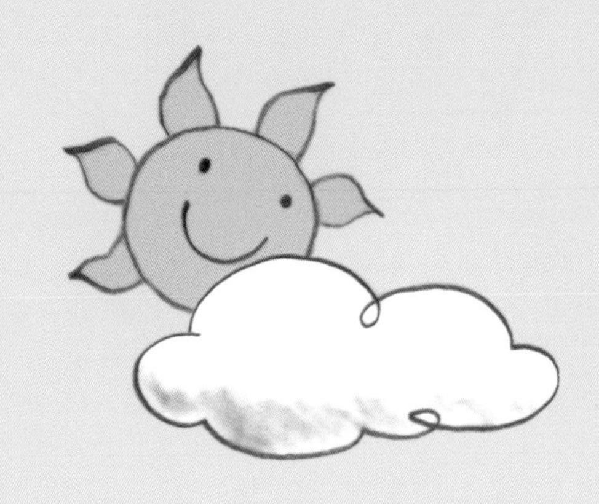

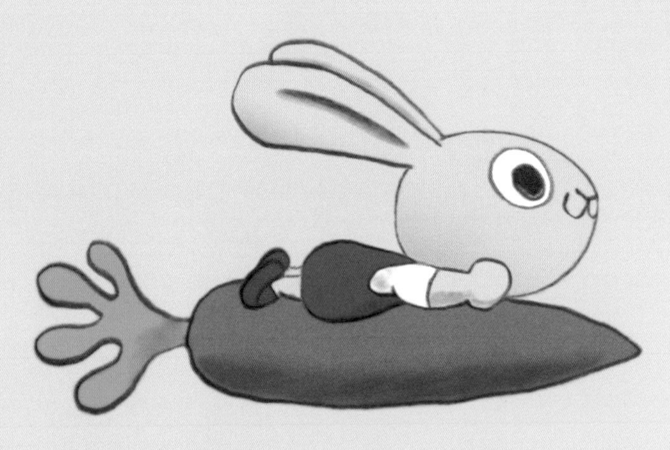

在ㄗㄞˋ兔ㄊㄨˋ子ㄗ˙國ㄍㄨㄛˊ裡ㄌㄧˇ，
胡ㄏㄨˊ蘿ㄌㄨㄛˊ蔔ㄅㄛ就ㄐㄧㄡˋ是ㄕˋ錢ㄑㄧㄢˊ。

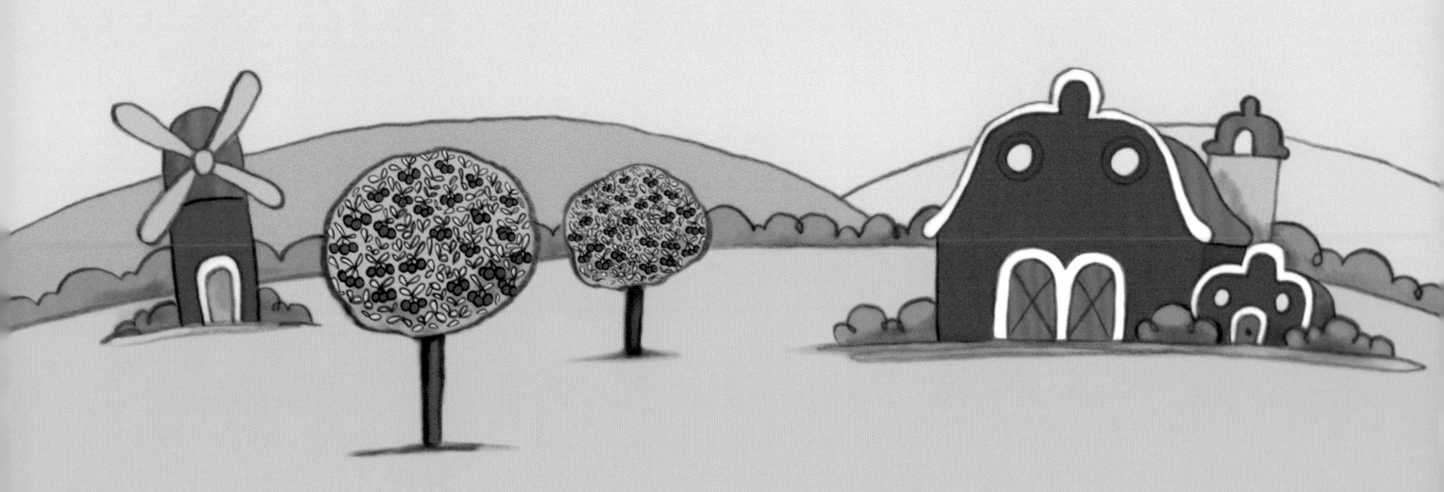

恰米生日那天，奶奶送給他10根胡蘿蔔……

小可愛，你可以自己花一些，另外留一些來做好事。

恰米想好
怎麼用這些
胡蘿蔔了。

他ㄊㄚ有ㄧㄡˇ一ㄧˊ個ㄍㄜ˙

超ㄔㄠ～級ㄐㄧˊ～

大ㄉㄚˋ計ㄐㄧˋ畫ㄏㄨㄚˋ……

我想要……

拯救世界！

是嗎？那麼，
你要怎麼
做呢？

我要買一套
超級英雄裝，
飛越全世界，
和巨龍戰鬥，
拯救兔子！

全世界是很大的，
恰米。

奶奶，請你等著看我

打敗邪惡的巨龍吧！

嗯，可是
我最近留意過，
兔子國裡
沒有巨龍。

哦，
真是
無聊！

可是，我想要做好事啊！

超級恰米來救援了！

而且，如果你買了超級英雄裝，就沒有胡蘿蔔可以做好事了。

那麼，我們來想想
有誰需要幫忙。
我聽說，熊蜂好像
需要一些幫助。

嘿，我好

喜歡熊蜂！

我該怎麼

幫牠們呢？

熊蜂需要從花朵裡
採集食物，但是
兔子國裡的花
太少了，熊蜂
的食物實在
不夠。

那我來種些花！
但是我的
超級英雄裝
怎麼辦？

或許你可以先買披風。
最棒的計畫通常都是
從小地方開始，再

慢慢變大……

就像
我一樣！

嗯……那麼我該怎麼樣

計畫1不太好……

花我的胡蘿蔔呢？

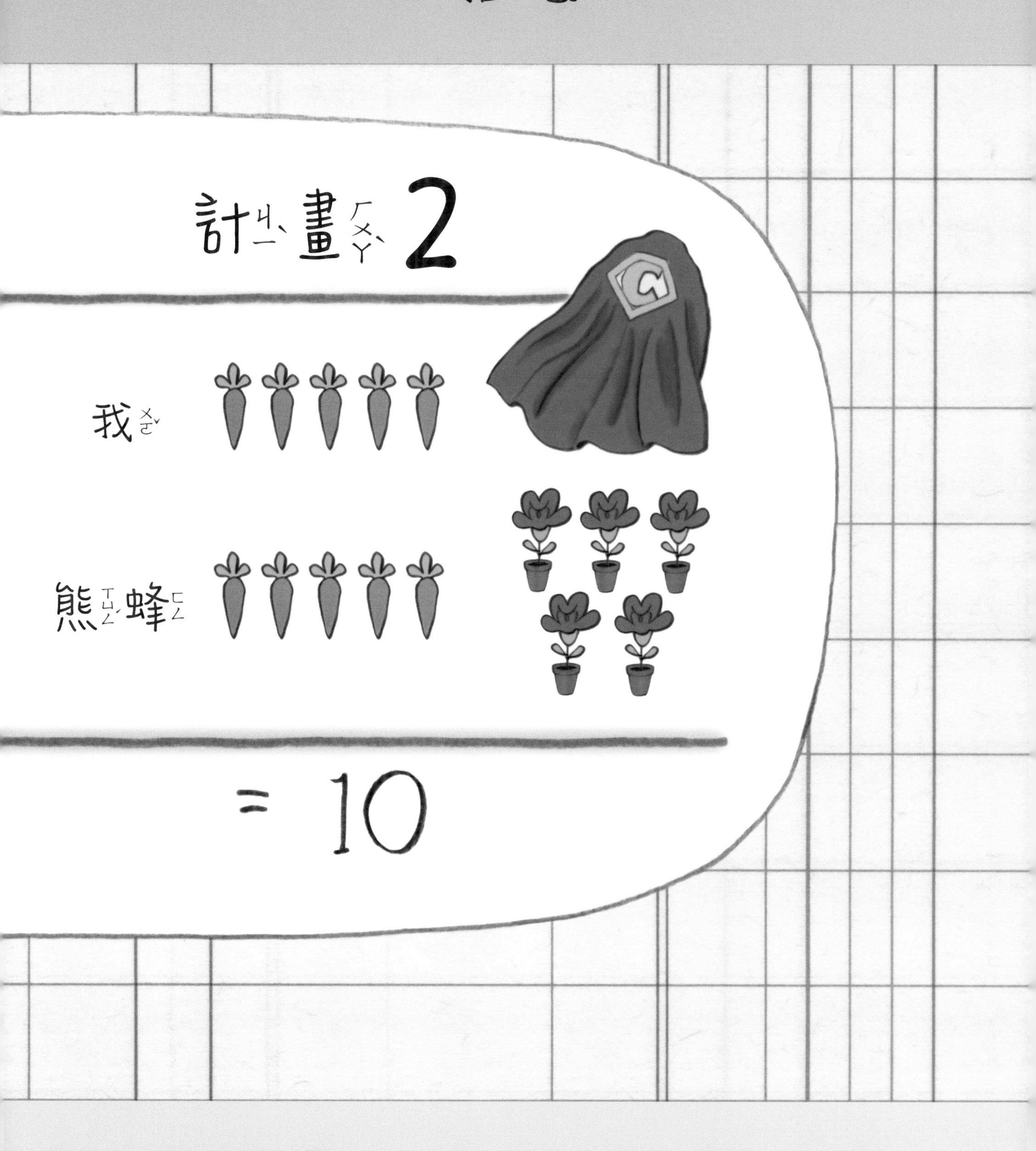

因為我想幫助熊蜂。計畫2呢？

恰ㄑㄧㄚ米ㄇㄧ，該ㄍㄞ吃ㄔ
午ㄨ餐ㄘㄢ嘍ㄌㄡ！

太ㄊㄞ棒ㄅㄤ了ㄌㄜ，
我ㄨㄛ超ㄔㄠ級ㄐㄧ
餓ㄜ！

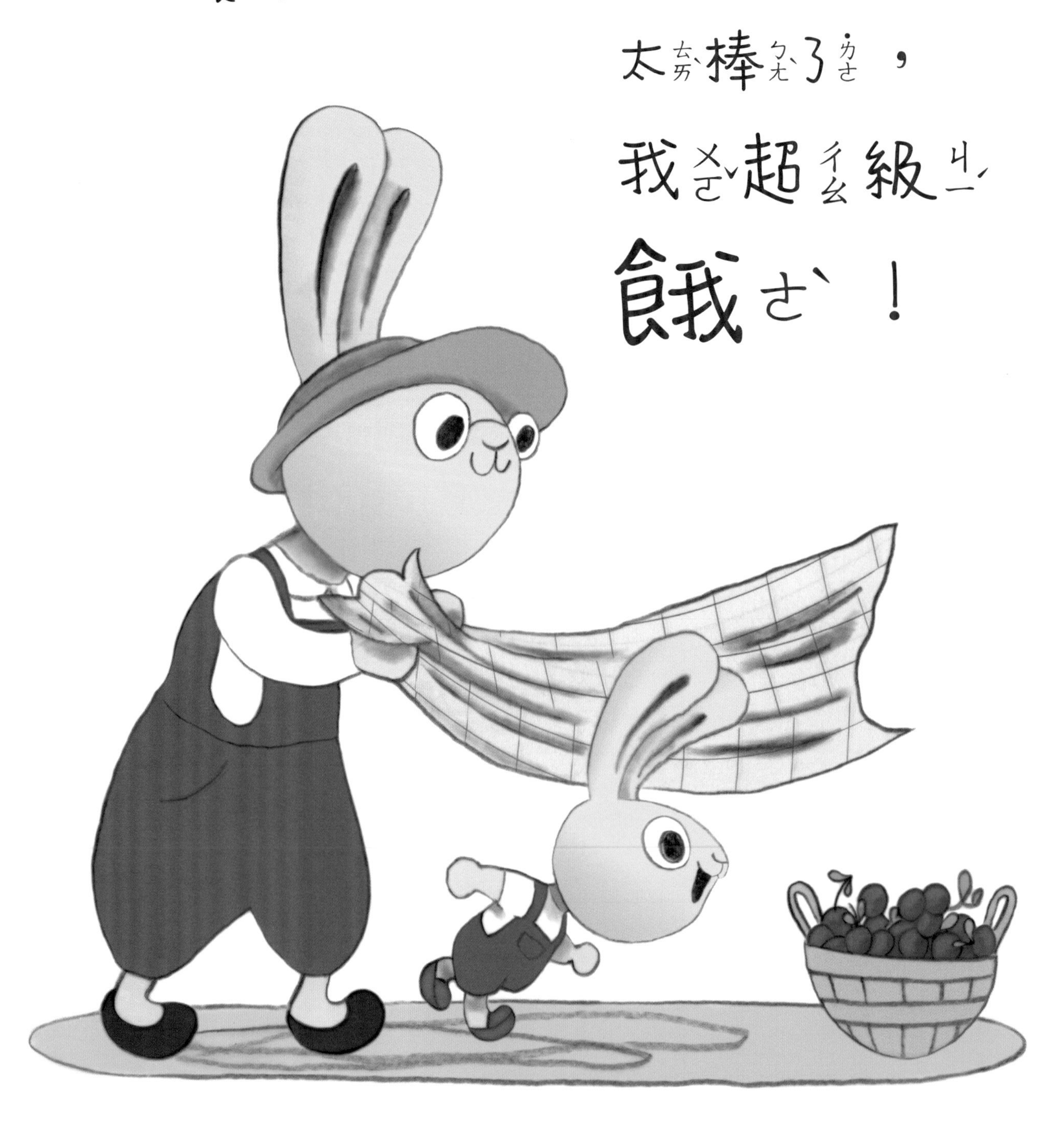

所以，你知道
那些熊蜂肚子餓
的感覺了吧？

我知道了！
嘿，我想把你
送我的胡蘿蔔

全部

拿去幫忙！

所以你不買

超級英雄裝了嗎？

也許我不需要
超級英雄裝，
也可以
變成英雄！

我新的超～級……

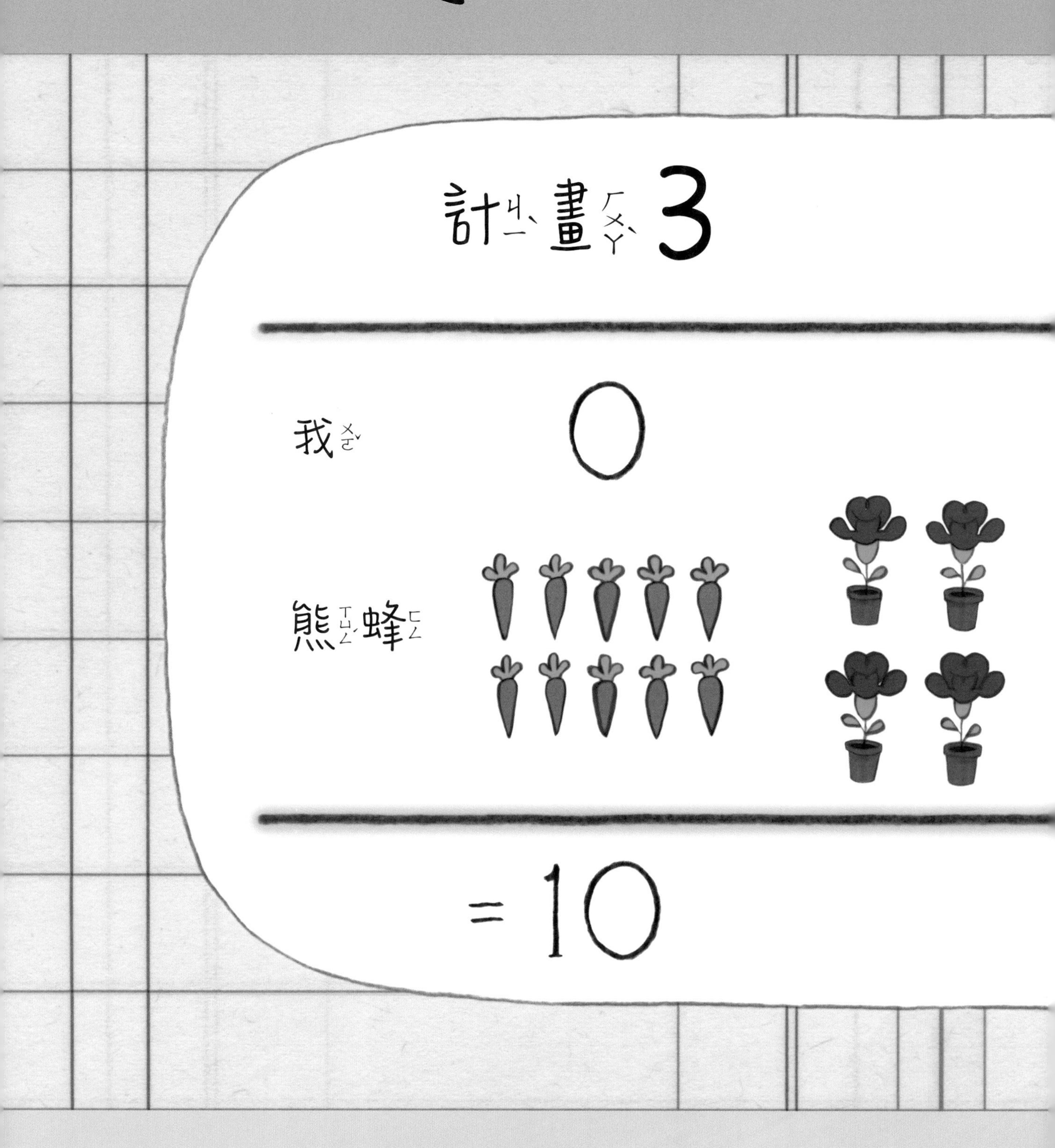

恰米，你真的是個超級兔英雄！

超ㄔㄠ～級ㄐㄧˊ～大ㄉㄚˋ計ㄐㄧˋ畫ㄏㄨㄚˋ！

恰米和奶奶
帶著他的罐子
和他買的花
來幫忙！

嗡嗡～
嗡嗡～

我付出、我幫忙……

我拯救了世界！

知識繪本館

小兔子學理財4 小兔子學捐錢

Give It! (A Moneybunny Book)

作者｜辛德絲・麥克勞德 Cinders McLeod　譯者｜顏銘新
責任編輯｜戴淳雅　特約編輯｜堯力兒　美術設計｜李潔　行銷企劃｜陳詩茵

天下雜誌群創辦人｜殷允芃　董事長兼執行長｜何琦瑜
媒體暨產品事業群
總經理｜游玉雪　副總經理｜林彥傑　總編輯｜林欣靜
行銷總監｜林育菁　主編｜楊琇珊　版權主任｜何晨瑋、黃微真

出版者｜親子天下股份有限公司　地址｜臺北市104建國北路一段96號4樓
電話｜（02）2509-2800　傳真｜（02）2509-2462　網址｜www.parenting.com.tw
讀者服務專線｜（02）2662-0332　週一～週五 09:00~17:30
讀者服務傳真｜（02）2662-6048　客服信箱｜parenting@cw.com.tw
法律顧問｜台英國際商務法律事務所・羅明通律師
製版印刷｜中原造像股份有限公司
總經銷｜大和圖書有限公司　電話（02）8990-2588

出版日期｜2021年1月第一版第一次印行
　　　　　2024年7月第一版第十四次印行
定價｜320元　書號｜BKKKC166P　ISBN｜978-957-503-712-3（精裝）

訂購服務

親子天下 Shopping｜shopping.parenting.com.tw
海外・大量訂購｜parenting@cw.com.tw
書香花園｜台北市建國北路二段6巷11號　電話（02）2506-1635
劃撥帳號｜50331356　親子天下股份有限公司

國家圖書館出版品預行編目資料

小兔子學理財4：小兔子學捐錢／
辛德絲・麥克勞德 Cinders McLeod 文・圖；
顏銘新 譯／
-- 第一版. -- 臺北市：親子天下，2021.01
40 面；20.3X26.7 公分. --
譯自：Give It! (A Moneybunny Book)
978-957-503-712-3（精裝）
1.理財 2.生活教育 3.繪本
563　109019708